L'IMPRÉVUE
de Susy Turcotte
est le cinq cent troisième ouvrage
publié chez
VLB ÉDITEUR.

Susy Turcotte

L'Imprévue

poésie

vlb éditeur

VLB ÉDITEUR
Une division du groupe Ville-Marie Littérature
1010, rue de la Gauchetière Est
Montréal, Québec
H2L 2N5
Téléphone: (514) 523-1182
Télécopieur: (514) 282-7530

Maquette de la couverture: Eric L'Archevêque

Photo de la couverture: Jean-François Bérubé

DISTRIBUTEURS EXCLUSIFS:

- Pour le Québec, le Canada et les États-Unis:
  LES MESSAGERIES ADP*
  955, rue Amherst, Montréal H2L 3K4
  Tél.: (514) 523-1182
  Télécopieur: (514) 939-0406
  * Filiale de Sogides ltée

- Pour la Belgique et le Luxembourg:
  PRESSES DE BELGIQUE S.A.
  Boulevard de l'Europe 117
  B-1301 Wavre
  Tél.: (10) 41-59-66
       (10) 41-78-50
  Télécopieur: (10) 41-20-24

- Pour la Suisse:
  TRANSAT S.A.
  Route des Jeunes, 4 Ter
  C.P. 125
  1211 Genève 26
  Tél.: (41-22) 342-77-40
  Télécopieur: (41-22) 343-46-46

- Pour la France et les autres pays:
  INTER FORUM
  Immeuble ORSUD, 3-5, avenue Galliéni, 94251 Gentilly Cédex
  Tél.: (1) 47.40.66.07
  Télécopieur: (1) 47.40.63.66
  Commandes: Tél.: (16) 38.32.71.00
              Télécopieur: (16) 38.32.71.28
              Télex: 780372

Dépôt légal — 1er trimestre 1994
Bibliothèque nationale du Québec
ISBN 2-89005-571-X

Pourquoi faut-il tant de mystère et d'emballage
Pour finir comme un livre ouvert
À la même page
Et aller frotter ses prunelles, à la même flamme
Dans un corps à corps éternel
Tordre son âme?

PLUME LATRAVERSE,
Métaphormose

Zone sauvage

Elle ne s'échappera pas hors de son sommeil glacé. Elle oubliera qui l'a portée dans cette chambre pour la soustraire aux séquences éclatées. Elle jettera tout l'encre de son cœur sur les trois heures disparues. Elle se coupera de la souffrance comme on sombre dans l'anesthésie.

Elle jette ses vêtements un à un, ici et là, partout dans l'étroite pièce. Elle voudrait se dévêtir de toute cette pesanteur en elle, s'évaporer si possible, et flotter dans l'air, au-dessus de sa lassitude, échapper à l'embouteillage derrière ses yeux.

Elle ne pourra jamais s'élever. À moins qu'on ne lui offre des souliers ailés.

à Marie-Jo,
pour nos zones d'ombres et nos liens étroits

Elle ne sait plus qui elle est. Elle se croit de nulle part. Un feu lui incendie l'intérieur, la consume tout entière. Aucun vertige ne saura légitimer le verdict du destin. Elle colle son front aux fenêtres froides et rencontre le vide quand elle croise son reflet. Elle demeure en marge derrière cette vitre où elle ne se ressemble pas.

Je ne sais plus qui je suis. Est-ce bien moi cette femme tremblant dans le froissement de l'air, cette ombre frémissante? À peine un souffle émerge du noir. On n'avale jamais la fatalité. On ne laisse pas la méprise respirer contre soi. Je vis dans le désordre, moi l'éparpillée, effaçant les souvenirs à mesure qu'ils surgissent.

Il y a tant d'ombres qui s'exposent à ma vue, ombres invitantes, ombres dansantes qui se désagrègent dans la lumière. Tellement de corps vacillent et explosent en mille morceaux devant moi pendant que la ténèbre et le manque s'emparent du seul chemin qui mène à mon âme vorace. J'ai beau tendre les bras dans le vide, attendre les phrases magiques qui sauraient me hisser vers la clarté, je ne saurai jamais comment bouger pour ne plus rouler vers l'abîme. Je suis une ombre qui tourne à vide. Où est le feu pour mon cœur avide?

Je n'entends que des grincements. Je songe à nouveau à l'instant fatal, cette fraction de seconde où je me suis crispée pour m'amortir, étouffant à jamais les gestes, émiettant tout désir de survie pendant que survenait cette collision entre moi et l'immense champ. Ce matin-là, j'étais une étoile en chute libre. L'autre corps dans mon corps s'envolait en pivotant sur lui-même. Je le regardais s'en aller. J'étais vissée au sol. Une grande douleur s'étendait entre la neige et le ciel.

De temps en temps, le vacarme dans ma tête reprend. Des courants d'air, des rumeurs, des éclats de bouteille ou des crissements de pneus. Des sons de sirène. De pâles souvenirs qui s'entrechoquent puis s'enfoncent, aspirant d'autres images, brumeuses mais vivaces.

Pose ta main sur mon front pour faire écran à cette double écriture en moi. Parle encore que je ne sois plus entraînée vers cette lame de fond. Croisons nos doigts pour que les paysages enfin se fixent. Et ne bougent plus.

Je fixerai les pieds de tous ces gens qui dansent et je le sais, je le sens, je serai blessée en cet endroit en moi où tu ne peux me rejoindre. Ce lieu entre la foudre et le sang. Tu me diras de fermer les yeux, que je vibre encore plus fort que ces danseurs qui m'étourdissent. Et que j'ondule sans même bouger, que je vole. Que les neiges éternelles que j'imagine sur mes jambes n'existent pas. Je te répondrai: «Extrais de moi l'angoisse qui m'est entrée dans la peau il y a longtemps, et je te croirai. Et peut-être même que je te suivrai.»

Il arrive que soient trop forts le manque de courage, le besoin de clarté, et je retourne habiter les folles forêts où j'essaie de tuer, une à une, toutes ces bêtes qui me gardent en otage tout près du précipice. Les étoiles en haut s'éteignent comme celles du dedans. Et je laisse repartir vers leur étrange destination les chevaux ailés. Sans les enjamber. Parce que je n'ai plus la force de m'envoler.

M'agripper à ton corps ne fait plus de sens. Mon cœur est de cire et aucun élan d'amour ne saurait me chasser de cette tour.

La rage me secoue, la rage ardente, la rage essoufflée, la rage devant laquelle je m'étais effacée. Je meurs doucement dans cette colère jamais dite. Mes poumons n'ont plus l'espace pour libérer le cri. Un parfum, une rumeur m'ébranlent. Des craquements résonnent avec l'écho funèbre des années perdues. J'ai blanchi avec mon trac de pleurer et mon désir de cracher.

Me voici glacée, froissée, risquant de m'effriter davantage si mon poing reste fermé. La violence et la crainte d'être démolie me conduisent vers des feux passagers, des lits brûlants où mon cœur se fige sans se fixer.

J'écrirai jusqu'à l'aube, jusqu'à ce que s'évanouisse l'angoisse. Je circulerai à travers mes propres images, passeuse solitaire, traçant autour de moi des cercles sans fin.

Les secondes, les minutes s'écouleront et j'essaierai de ne plus sentir les colliers si lourds qui m'étouffent. Une lumière blême éclairera mes pieds, mais la révolte continuera de bourdonner. Je te confierai peut-être que parfois mes veines se retiennent pour ne pas s'ouvrir.

Une étreinte un peu trop forte, un peu trop douce, et sous le sternum, ce nœud que je connais: la douleur de voir toute sensation divisée puis annulée. Douleur amplifiée de se sentir dépassée, ébranlée de partout, fragile sentinelle, triste vigile des désirs aveugles, assourdissants.

Au centre du corps, toujours cette ligne de partage. Oblique paralysante. Démarcation entre le frisson et le silence. Le ciel et l'enfer. Ligne qu'on voudrait effacer, corriger, redessiner, ligne de nuit, ligne de vie. Un fil peut-être cette ligne, fil perdu dans la césure d'une saison.

Du blanc seulement, blancs de mémoire, neige sur les sens. De temps en temps, j'allonge mes bras, et ses bras à lui m'immobilisent davantage. Je n'ai plus envie de frapper le mur, d'y jeter ma révolte. Chaleur entourée de chaleur, danse interminable, avec l'oubli comme partenaire.

Je suis la Souterraine, la Perdue éperdue de nuit, l'éparpillée silencieuse qui prend des milliers de trains, vêtue de ce désir infini de n'aller nulle part — le trajet importe tellement plus que la lumière qu'on imagine au bout de la folle traversée. Je suis seule, portée par mes pas souverains, et personne jamais n'a accès à mes envols, pas même l'homme qui croyait avoir compris mes vertiges et mes chutes. Son rire alors résonnait contre les murs, les plafonds, son rire d'abîme, son rire tellement plein de morsures. Il dansait à l'heure des rêves, mimant tous mes mouvements fantômes. Il imitait devant mon lit tous les gestes anciens que je n'arrivais pas à chasser de moi. Dans mon cœur, je serrais les poings et je fermais les yeux, l'implorant en secret de cesser toute cette macabre agitation devant moi, ce cirque. Je ne disais mot et m'éloignais de ce qui nous liait, cette croisée inattendue des souffles. Je ne dévoilais rien, à part le murmure incessant de la douleur impossible à taire. Il poursuivait sa danse et, en pleine nuit, sa lumière emplissait mon appartement. Il amplifiait toute cette peur que j'avais de ne plus savoir bouger. Il écrasait mon envie d'atterrir sur ce qui en moi désirait rester vivant, cette terre fragile, ces cailloux doux, ces parois de verre ou de feu. Je m'inventais un voile de cécité.

Plus question que je meure d'amour. L'existence m'avait trop remuée. Il épousait mes itinéraires de folie, il escaladait mon corps brisé et, sans le savoir, ma voix à travers lui préparait le chemin d'un autre amour. Il allait me quitter, transformé. Je l'avais élevé, exilé de ce qu'il se croyait être. Il me fallait retourner vers le gouffre, immobilisée par le poids salé des aurores difficiles.

Je connais les revers de l'aube, le désarroi. On me croit éprise du vent, attachée à la pâleur des silences et lorsqu'on me relègue aux ténèbres, je me relève chaque fois séparée de l'écran de douceur qui me colle pourtant à la peau. Je prends goût à la rage. Mon âme est un trait d'union invisible entre la vérité et la tendresse. Pourquoi suis-je toujours entraînée vers des forces contraires où je ne peux graver le deuil de mes jambes sans défense qui aimaient le sable, l'herbe et la neige? Pourquoi tout cet alcool dans mes veines pour engourdir la chaleur et créer ce chaos? Je suis tellement vide. Je me fiance à ces mots qui cessent de me ressembler une fois écrits. Un jour, peut-être, succomberai-je à ce besoin de durer à travers quelqu'un. D'être vive sous mes ailes refermées et percluses. Je serai désensorcelée mais toujours Souterraine. Allégée, enfin.

En route pour je ne sais où, je tourne le dos au paysage. Et défilent tout de même devant moi ces maisons closes, ces arbres dénudés, ces terres mordantes. Toi tu es demeuré dans la chambre brûlante, mais ton désir m'accompagne dans ce train anonyme. Je fuis tes vents, tes creux, tes brises, tes feux. Laisse-moi guérir, il me faut coïncider avec ce courant qui t'échappe. Laisse-moi me briser contre le brisant. Laisse-moi danser dans l'absence du geste, cette vague paralysée où personne ne peut me suivre. Tais-toi même si je hurle. Enveloppe moi en silence, de loin, dans le secret de nos images. Je me perds dans ces étendues blanches où je me réconcilie avec le noir. Je désamorce les traînées rouges de la vie et de l'amour. Offre-moi ce vide tendre. Garde-moi dans ce dénuement total et sa magie très douce et obscure. Je suis coupée de mon souffle. Je voudrais qu'il y ait quelqu'un pour ne pas que je déraille. Dans quels lieux irai-je, dis-moi, avec mon âme errante? En quels endroits de perdition, de transition? Je ne sais plus. Et qui, au bout du voyage, sera là pour me fermer les yeux alors que je transporte avec moi cette vision des ténèbres? Referme-moi comme un livre dont tu ne connaîtrais que quelques chapitres.

Douleur fantôme, plaie jamais totalement drainée, il me semble. Blessure qui continue d'exister, parfois sans cicatrice ni sang. Brisure qui souvent me brise, fermant tous les couloirs du désir, ne m'ouvrant qu'à la vie sensible. Douleur invisible sur laquelle poser des mots invisibles, c'est-à-dire du silence.

Moi, emmurée? Parce qu'une autoroute s'est déchirée? Parce que je ne saurais plus distinguer un champ
de neige et un champ d'étoiles? Je sais pourtant que
l'horizon ne s'est pas incliné et qu'aucune route ne m'a
perdue. Ici et là, je détresse les nœuds de ma détresse.
J'avance dans cet interminable sentier et j'imagine mes
bottes légères qui jamais ne s'useront. Le vrai chemin
est flou: je l'ai moi-même brouillé pour demeurer sauvage. Je voulais aimer et passer. Et je me suis bousculée,
avec mes serrements de cœur, ouverte que j'étais aux
serments des âmes.

Je marche infiniment, sans épaule nulle part qui
m'attende. Je me laisse porter par cette seule certitude:
on laisse des morceaux de soi dans la vie des autres, tellement de brins de soie.

Des sons horribles et terrifiants emplissaient l'air. Je fuyais en pensée pour ne pas être aspirée par le désarroi. Le secours n'arrivait plus et j'étais coincée dans ce remous de neige éternelle. Et encore, je me rappelais ces minutes violentes, quand le corps tournait sur lui-même, infiniment, avant d'aller s'écraser.

J'étais une tache noire dans un champ de neige. Je regardais le ciel en grelottant. Devrais-je m'esquiver en douce pour ne plus parler de fatalité ni de choc? Qu'allais-je devenir?

Des milliers de voix vêtues d'éphémère

Avant que le jour ne l'étreigne, elle se lèvera. Parce que la nuit l'aura brutalement touchée et fait déraper contre l'angoisse. En elle s'agitera encore une fois cette détresse qu'elle ne comprend pas, ce froid qui la paralyse, qui empêche la vie de respirer dans son cœur. Elle quittera sa chambre pour rouler vers l'oubli.

Le matin n'aura pas encore commencé et elle aura rejoint l'homme qui dormait dans l'autre pièce, le messager amoureux. Il interrompra son sommeil pour la laisser glisser doucement contre lui tout près de son souffle. Au début, elle ne saura ni parler ni bouger. Seulement pleurer en silence et respirer mal. Elle ne verra de lui que ses grandes ailes étalées au creux desquelles elle peut s'étoiler et se perdre. Puis, contre son épaule, elle se sentira portée à bout de bras. Soulevée au-dessus de l'incommunicable.

Demain désormais pourra surgir n'importe quand. Elle aura enfermé dans son corps quelques caresses d'automne, quelques moments de blancheur où le désir se détache du présent comme un cadeau. Une vague bleue qui meurt dans son regard de feu.

Elle oubliera de lui dire qu'elle ne peut être saisie qu'au vol. Mot à mot. Que son seul point d'ancrage dans le réel est une somme d'instants. Et surtout qu'elle est sensible à la fatigue qu'il éprouve. Que si elle pouvait, elle prendrait toute cette fatigue et irait la jeter très loin hors de lui. Dans l'espace.

La conversation s'était poursuivie entre ses draps gris. Les mots s'étaient changés en pluie de gestes. Lente métamorphose, imprévisible averse. Deux itinéraires se croisaient, déviaient pour un instant. Au bout de mes doigts s'éveillaient des papillons que je laissais s'envoler vers lui.

Ses yeux s'allumaient au-dessus de mon visage. Diamants bleus, étoiles éphémères qui me liaient à une coulée d'images tenaces. Le voyage commençait; il était trop tard déjà pour retirer mon cœur de ce vertige.

Il m'avait eue, je n'étais plus insaisissable. Je m'inventais des milliers de bras pour oublier mes jambes muettes. Et j'entendais l'écho assourdi de mes pas qui battait dans sa poitrine.

Il me déshabille et chasse de moi l'immobilité, ce vêtement que je porte comme une seconde peau. Il me dévêt
d'une douleur étroite et pesante.

Ses mains me sculptent. Je sens circuler sur moi
l'onde bleutée de ses yeux. Comme un cristal magique et
incendiaire.

Il marche en moi et je ne veux plus retourner dans
mon corps.

Il a jeté sur moi son regard outremer et ne l'a plus repris. Lumière diffuse, flamme tremblotante. Pierre précieuse que j'avais longtemps convoitée.

Je le touche et je me fonds à l'éclair qui déchire mes doigts. Je vais mourir s'il dévie des sentiers de l'extase et du vertige, s'il interrompt notre danse et s'enfuit avec mes pas perdus. Je mourrai s'il enlève la belle écharpe invisible qu'il a nouée autour de mon cœur.

Il dort. J'aime sur lui les couleurs de l'aube, les feux issus de la nuit et le calme dans lequel il se recroqueville. Je le touche juste au creux du cou, du bout des doigts, et la terre n'existe déjà plus sous mes pieds. Suis-je en retard sur moi? Ou bien en avance sur les heures? Peut-être suis-je simplement coincée entre les aiguilles des cadrans à force de ne plus vouloir voir bouger le temps.

Tantôt je vais retourner m'agiter dans son sommeil. Verticale et sensuelle dans l'eau bleutée de ses douces pensées.

Il s'éveille. Le matin enfin commence. Les minutes reprennent leur vraie mesure. Il étend ses bras pour me ramener vers lui. Mon cœur retient ses battements. Et puis je me calme, m'allongeant et m'étirant dans le plaisir d'être là, vivante, dansante. Je me fonds à cette sensation d'apaisement qui tantôt m'échappera.

Rare moment où, comme un chat, j'aimerais avoir sept vies.

J'ai oublié de lui dire que lorsqu'il se déplace dans la pièce, il ressemble à un soleil levant et qu'il s'agit de sa meilleure imitation. Que je ne sais pas comment ouvrir assez grand les bras pour qu'il reçoive tout ce qui part de lui aux moments de fusion, et que je voudrais lui réfléchir. Être un miroir qui ne déformerait rien et lui rendrait tout, intact, aussi dense.

Que lorsqu'il est là, je ne sais comment énoncer ma pensée. Que les mots qui me viennent sont toujours d'anciens mots et que peut-être aucun mot justement n'est nécessaire. Qu'il me faut seulement fermer les yeux, enfermer en moi le remuement, le remous, ne plus savoir si je suis troublée ou troublante, morcelée ou entière au moment même où j'aurais envie de murmurer: «Une moitié de moi aimerait te sentir totalement et ne peut pas, malgré l'extrême désir. L'insensibilité ne s'explique pas. Elle est têtue, énigmatique, suffocante. Un mur. Une musique comprimée et compacte qui se tient dans un silence. Et ta seule main sur moi, ta main magicienne, adoucit l'absence de mouvement, l'impossibilité pour moi d'aller au bout de ce que je voudrais ressentir et t'offrir.»

Mais les mots reviendront, tout à l'heure, je ne sais quand. Tout à l'heure peut aussi signifier jamais. Les mots se traceront sans effort, mêlés à ma soif insensée de fixer ce qui ressemble à l'éternité, même si cette éternité s'inscrit dans l'éphémère, l'indicible, l'indéfini, l'imprévisible.

Tu pourras t'accrocher à moi, traverser les murs quand les bruits auront cessé dans la ruelle. Anonymes nous resterons dans cette ville diffuse. Je ne me souviendrai plus des années où j'étais sans lieu, sans espace pour remuer. Sans repère et sans chaleur. Quand je n'étais qu'un point de fuite.

Je me dédoublerai et me renverserai, perdue dans le miroitement de ton corps. Étoile filante.

J'aime ce qui, dans tes yeux, me conduit entre deux eaux, ce flot de vibrations qui dansent à ciel ouvert, ici et maintenant. Abîmes fous, tremblants où, médusée, je franchis l'autre versant du monde et du désir.

Je veux que tes yeux aient la force rassurante de l'aube. Qu'ils soient la foudre qui souvent s'abat sur mon ventre. Qu'ils s'impriment sur ma peau comme une signature bleue.

Il est tard. Je regarde quand même l'eau douce ce soir dans tes yeux et je froisse un peu l'air, espérant que tu m'attendes pour jouer à la vague. Ouvre tes ailes une fois de plus que je danse encore; ferme tes bras sur moi que l'immensité en nous se déplie.

L'ombre et la lumière se croisent quand tu fais s'agiter mon cœur hors de sa cage. J'égrène mes pas un à un contre ma mémoire de verre. Je voudrais tant que tu saches tous les orages qu'à me toucher tu disperses.

Voyage dans mon corps, tant que tu veux, il sera toujours temps de court-circuiter les phrases en moi, les gestes, les feux isolés dont je suis le foyer. Écris en moi sur cette page infinie où tu touches la vie et le mouvement. Circule, chante, bouge dans l'instant présent comme sur une scène. Le spectacle se joue à l'intérieur de moi quand tes bras m'enserrent. Et m'enveloppent.

Voyage tant que mes jambes ne seront pas inquiètes du silence. Emmène-moi dans ta poitrine, vaste espace blanc où j'entrerais, verticale. Directe au cœur.

J uste un bout de nuit, un morceau de jour à la renverse, quelques heures ensemble où nous tairons le mot amour. «*You make me feel like dancing*», murmurerai-je encore si nos jambes s'emmêlent. Tu répondras seulement: «*You are so beautiful to me*» en me serrant davantage contre toi. Je comprendrai qu'il me faut prendre tout le soleil que tu donnes. Tu voudras franchir les murs et je te suivrai. Parce qu'où tu m'emmènes je peux voir défiler les quais sans besoin de m'arrêter nulle part.

Tu t'endormiras en tenant mes poignets et au matin je repartirai sans enlever ces doux bracelets que tu m'auras enfilés. J'aurai l'impression de quitter une scène mais sans autre vêtement que le désir. Je m'en irai sans avoir joué. Souhaitant un rappel.

Touche-moi quand un fil de lumière entoure nos corps et y oublie ses réverbérations. Touche-moi et trace sur mon ventre la ligne de partage de l'éclair et de la chute. Les mots tremblent à l'état de veille, les prismes se déforment. Touche-moi même si tes mains s'aveuglent en me cherchant. Même si je dérobe ta salive comme une eau de vie, même si tu te brûles en t'approchant de mon cou.

Je serai sirène, oiseau de nuit, tout ce que tu voudras, si tu demandes aux jours de ne plus se lever quand le soir n'en finit plus de tomber sur nous.

Tu ne désires que m'envelopper une fois la lumière éteinte. Mais qui enveloppe qui quand ni la vie, ni la mort, ni le temps n'ont de prise sur moi? Quand, passé minuit, ton rire résonne contre le mur?

En secret, je pose mes pas dans tes pas, infiniment, pour que tu repartes avec le sosie de celle en moi qui ne mesure jamais la douceur offerte.

Nuit après nuit ta chaleur s'imagine être ici pour la première fois. Tu es là, gardien du feu. Tes pensées se glissent dans mes pensées et valsent en moi, au détour du jour. Tu me touches et au creux de nous, il y a ce bel oasis. Nous sommes des vases communicants. Nous n'avons pas dérapé jusqu'ici par accident. Ni par hasard. Puisqu'il y avait déjà tellement de ponts et de passerelles entre nous.

Peut-être avons-nous parlé de cette vague qui vers l'âme s'avance et se retire. Peut-être me suis-je assoupie dans ta voix sans savoir que je m'absentais de ma mémoire. Douce glissade vers l'eau claire.

Légère et blanche et rebelle j'ai sans doute chuté dans une demi-nuit, comme si ma parole s'était fêlée. Comme si mon ombre avait besoin de se déplier, de s'allonger contre le sol, de basculer jusqu'au jour dans un semblant de confort.

Peut-être rêvais-je que j'étais une fenêtre ouverte. Ou bien un paysage où venait se reposer ton regard.

Je parlerais à nouveau du doux coloris que tes doigts laissent sur moi, des empreintes ou des phrases, on ne sait plus la différence. Je ne ramènerais plus l'histoire de mes pieds tout ensablés d'amertume, ni celle des chorégraphies inachevables, de ma silhouette qui, dans sa fureur, voudrait s'élancer, s'envoler, ondoyer ou s'incendier. Je ne te cacherais rien de ma vie, pas même la présence de cette parenthèse impossible à refermer.

Fille de silence, je ne serais vêtue que de poésie et d'éphémère.

Je t'attends. Je ressens le trac des soirs de première, le nœud dans la gorge, le frisson bloqué au milieu du dos. J'entends au loin chanter ta voix et un courant d'air m'effleure et me soulève de terre. Pareil à un vent chaud. Tu t'approches et un souffle se pose dans mon cou comme un baiser interminable.

Je sais pourtant que je vais demeurer cette silhouette sombre de quelques nuits et qui valse en toi avec ses jambes fiévreuses et nouvelles. Je serai une comète qui parfois traverse le ciel de ta vie. Je t'apaiserai les jours où ton cœur aura envie de se rompre.

J'irai m'asseoir toute seule dans le souvenir que j'ai de toi. Et puis, nue, je danserai, explosant à travers ces mouvements neufs et amples. Je ne conserverai de l'améthyste que ses reflets violets qui me protègent de l'ivresse. Fugue où je tomberai dans le vide pour renouer avec le vol oublié des oiseaux. Dense plongée. Difficile envol.

Les papillons noirs qui vivaient dans mon cœur iront se poser ailleurs. Au fond de moi une musique se lèvera, ta voix réverbérée à l'infini. Tu diras que tu ne portes aucun masque et que seul importe le délire que tu crées en moi quand tu m'arraches aux visions qui alcoolisent mon âme. Je croirai que moi seule compte juste en cet instant. Tu cristalliseras mes ombres fuyantes. Et nous nous vêtirons ensemble de cette quiétude qu'empruntent les chats qui dorment.

Un de ces soirs, tu me trouveras chez toi, je franchirai le seuil et je dirai: guéris-moi. Chasse la pluie, les soleils noirs et garde-moi dans ce couloir secret où tu m'as entraînée. Je ne veux plus jamais quitter cet endroit. Laisse-moi m'enrouler dans les accords, les mélodies, les mots simples, les cascades à l'intérieur de toi. Confonds-moi au gris qui finit par devenir blanc quand tes doigts m'habillent de tremblements.

Guéris-moi des départs, des pièges. Repose-moi de la fatigue, de l'attente et aussi du désespoir. Reprends-moi dans ta vie pour quelques minuscules nuits, et incandescente, je filerai vers l'aube. Fidèle vigile, oubliant mes amours concassées.

Je répéterai: guéris-moi, je suis sans défense. Sois mon bouclier, ta chaleur est la plus vive que j'aie connue jusqu'ici. J'aimerais la retrouver, une fois de plus, pour ne pas déraper.

Deux mois ont glissé sur le calendrier et je brûle d'envie d'être avec toi, toujours, roulée dans la vague de ton désir fou, comme dans un feu liquide. J'essaie de semer cette tension muette mais tes mains dansantes me cherchent une fois de plus et laissent sur mes hanches des traînées pourpres. Des fragments solaires mêlés au don, à la fusion, à la douce éclaircie de juin.

Tu me manques et les paysages s'embrouillent. Un appel suffirait pour iriser mon âme, pour que des cerfs-volants emplissent le ciel et que tout ce qui vibre en moi sache t'éblouir, t'émouvoir et te troubler. Autant qu'une ovation.

Mes rêves sont maintenant traversés de vautours et je ne parviens plus, au réveil, à oublier toutes ces griffes maintenues contre ma gorge et mon ventre. J'entends respirer les mélodies fragmentées de mon enfance, ces rappels d'abandon. M'envahit cette musique à la première personne du singulier. La deuxième personne — la souffrance — m'étouffe avec ses gants blancs.

Pourquoi avais-tu déposé des songes fabuleux dans mon existence? Je ne sais plus quels sols fouler pour demeurer du côté de l'équilibre. Je m'en irai cavaler dans l'espace, en ces lieux paisibles où je voulais projeter ta fatigue.

Je me suis éteinte en qui j'étais et que j'aimais. J'ai transfusé en lui espoir, amour, joie de vivre, m'injectant tout entière dans un rêve désert. Portes battantes d'où je n'allais plus pouvoir revenir ni m'échapper. Tournoiement sans fin.

Il s'est emparé de paroles qui m'appartenaient. Il a cambriolé mes secrets, saccagé mon âme. Je suis devenue ce que je craignais, vidée de mon encre: une page blanche.

Ni claire, ni obscure, j'avale des vagues de feu, je m'enflamme de l'intérieur, noyée d'obscurité brûlante. Ondées de silence, fantômes sans nom émergeant de l'absence. Le manque est tellement dense. Le manque qui danse. Je crois que je deviens peu à peu une idée fixe, une idée qui s'embrouille. T'avais-je confié que tu étais parvenu à me dénouer, à m'éloigner de mes hantises? T'avais-je dit que l'écrit reste? Maintenant je sais, les cris restent, en clair-obscur.

Je ne perçois plus ce soir les battements du temps ni ses pulsations secrètes. Mon cœur se vide par à-coups. La terre ne cesse de se dérober, comme moi de trembler. Je ne cherchais ni bras, ni jambes, ni air, ni feu, seulement un terrain de vérité, de lumière en guise de creuset ou d'âtre.

Pourquoi m'avoir invitée près d'un fleuve de sang et être disparu? Un éclair me déchire le dos rien que d'y penser.

Je suis à des milliers d'années-lumière de toi. Je t'aime quand même. Minuit, la souffrance me cerne et les murs rétrécissent autour de moi. Où irai-je désormais? Vais-je m'égarer toute seule dans mes faux pas? Tes paroles s'accumulent et flottent partout dans la pièce avec cette odeur de rupture. Je pense à toi et un sanglot étrange me poignarde encore juste au creux du ventre. Douleur phosphorescente. À l'aide! On m'a arraché le cœur.

Je cherchais à enlever la poussière sur les mots et les gestes, je voulais que s'allume en moi le feu de jadis. Et tu vois, la mort m'entoure maintenant d'un cerne infini: me voici à la croisée des rumeurs. Aurais-je glissé dans ce piège: confondre l'imitation et la réalité? Mon corps est devenu tout à coup une ombre informe, une ombre pesante de néant. Tout est faux, tout se réduit à l'instant qui n'existe déjà plus, le perpétuel espace pour lequel, si lourde, l'éternité ouvre ses draps. Toute cette blancheur qui me traverse n'est qu'une pâle copie de mon désir inversé et qui ne sait plus se blottir dans mon âme, comme autrefois, en décalcomanie.

J'ai fouillé ce midi de juillet, si triste midi aux misérables accents. Tu m'annonçais une lettre qui allait me reléguer à l'oubli. N'allait subsister que l'inquiétude en suspens, les mots crachés parlant de double, de miroir et m'invitant à m'enfoncer dans l'eau noire. Je t'aimais tant. Il me semble avoir rêvé ma voix désespérée; je me balançais au bout de ce fil d'angoisse, ce fil noir et ténu.

Et puis dehors, même si je me fermais à toute chaleur, le soleil s'est abattu sur moi, comme un rapace. Double brûlure.

Toi et tes milliers de voix avez laissé des milliers de spectres en moi. J'étreins un à un tous ces fantômes pour m'en délivrer. Je m'éteins sous les rayons noirs. Mon cœur s'ouvre comme une fleur du mal. Et tu voudrais que je sois forte.

J'étais sourde à tout appel, toute invitation à retourner en arrière. Je ne reviens jamais sur mes pas. Mes élans me portaient ailleurs, j'étais si loin de nos naufrages, de nos envols. Une autre voix s'était installée en moi, une voix qui n'allait pas se diviser ni me briser. La douleur de t'avoir perdu m'avait suivie si longtemps. Poursuivie, fragile proie que j'étais. Déchirée, j'étais devenue la déchirure même. Un nouvel amour m'appelait et tu n'avais plus aucune prise sur moi. Mon équilibre n'était plus en péril et, en aveugle, j'ai senti ce corps de secours qui voulait épouser le mien.

Passage interdit

Un sentiment bizarre tout à coup m'a détruite
Souvenir intense d'une soif inassouvie
Ce mal de toi immense que je cache à l'intérieur
Pourquoi t'es parti?
Je n'ai plus jamais de chaleur

LAURENCE JALBERT,
Corridor

Il avait pour moi ouvert le ciel. J'attendais que scintillent d'imaginaires étoiles. Douce folie, air pur, nuit entrouverte. L'aurore ne désirait que dormir, oublier que le vrai moi se cherchait un abri, un lieu sûr, une voix, des voies, certains chemins.

Moi qui n'avais besoin de personne, j'étais à la merci de cet homme qui me rencontrait trop tard. Il me traduisait des phrases étrangères. Il racontait que quelqu'un dessinait dans le firmament. Et moi je respirais profondément, sachant qu'aucune césure n'existait entre la nuit et le jour. J'avais déposé quelques souffles brûlants sur le cœur de cet amant de hasard. Aucun flocon de neige ne parviendrait jamais à me glacer ni me briser. Il n'avait qu'à me prendre.

Sentinelle à ses heures, douce vigile, eau frémissante, elle se laissait hanter par ces firmaments qui, disait-elle, voulaient l'aspirer. Un ange l'attendait là-haut. Cette nuit-là, il y avait sur elle des milliers de doigts, invisibles, interdits. «Ne me touche plus sinon je m'envole par le ciel ouvrant», murmurait-elle à celui qui cesserait d'exister au matin. Mais elle ne pouvait plus s'élever ni rejoindre l'ange, prisonnière qu'elle était de la liberté et de ses ailes troublantes.

Ils ne pouvaient plus se détacher l'un de l'autre. Ils demeuraient enlacés dans cette voiture et attendaient silencieusement les premiers pas de l'aube. Bras tremblants, hors d'atteinte, en cette spirale enchantée du désir. Si elle avait eu l'espace pour le faire, elle se serait déroulée à ses pieds, lui offrant sa nuque comme seule ligne d'horizon. S'il avait pu, il aurait demandé à la ville de se rendormir pour s'enfoncer à nouveau, comme un forcené, dans la finesse des dédales où il venait de s'égarer, visiteur impromptu de la cité des anges.

À peine rescapés de la nuit, ils savaient qu'ils trichaient avec l'éternité mais ne pouvaient plus rien contre le sortilège.

Je m'étais enfermée dans la frayeur du soir et je redevenais souterraine. Discrète et cruelle comme la noirceur, assoiffée de silence, faisant taire mes bracelets pour qu'aucune musique ne vienne troubler cette quiétude. Quelques frissons étaient demeurés sur moi. Comment les endormir à jamais ces douces clartés sur ma peau? J'avais envie de me survoler, de jeter un peu de neige sur cette chaleur nouvelle et subite, pour que cesse l'extrême confusion dans ma tête et que les milliers de chemins de l'amour arrêtent de se multiplier sans fin dans mon cœur.

Je regardais le plafond et aucune réponse ne voulait donner signe de vie. L'image de cet homme tremblait au-dessus de moi dans la blancheur soudaine; au même moment, son corps s'allongeait près d'un autre corps. Son visage cessait d'être flou mais pas mes pensées. Pourquoi la vie était-elle si obscure?

J'étais femme des ténèbres, enveloppée dans un long manteau sombre. Je grelottais. Le jour finirait-il par se lever avant que je n'étouffe dans cette solitude?

Il m'avait suivie jusque chez moi pour déployer ses ailes et m'envelopper, installer le trouble partout dans mon corps. Je voulais agiter mes jambes pour lui refléter une partie de cette majesté qu'il m'offrait, mais je ne savais que me recroqueviller dans ses bras de velours: aube absolue, étreinte de soie, feu de vie. J'oubliais les vents glacés et les fantômes égarés dans les corridors. Je ne pensais qu'à lui donner des escaliers pour atteindre le ciel, ma vraie demeure. J'étais aérienne, avec l'âme tellement vaste qu'il m'importait peu d'être un ange déchu ou une fille corrompue, un mauvais génie qui voulait l'emmener jusqu'aux portes du sublime.

Ses mains savent abolir la moindre amorce de tempête en moi. Le sortilège voyage entre nous, un courant d'air chaud. Je deviens celle qui désire tous ces bruissements du jour, ces preuves frileuses de l'égarement. Je prends ces quelques heures d'échappée avant d'être jetée à l'oubli, privée de cet affolement dont moi seule sais la teneur et la fragilité. Dans ces lieux d'apesanteur pour lesquels il n'existe aucun ascenseur, je circule sans bruit.

Je suis une ligne perdue dans sa main, une alliée du destin. Lui, que cherche-t-il dans mes lignes brisées? Il est celui qui va, celui qui part, celui qui s'envole, celui qui se trahit en fuyant l'obsession. Quand il s'approche du seuil, je poserais mon pied dans l'embrasure et le garderais là éternellement pour ne plus qu'il s'en aille dans cette ville endormie, cette vie embuée, cette pièce de théâtre où je deviens un personnage flou.

Je suis là sans aucun billet de retour. Tu connais mon pas léger et ma silhouette rompue. Silence dans le silence quand tu me soulèves de terre comme une précieuse porcelaine. J'ouvre des ailes immenses, à la mesure du vertige. Je suis là avec ce tintement familier qui te rend fou, et nous nous tenons à l'écart des horloges, à l'abri des miroirs et des rumeurs. J'entends un bruit de source, mon prénom que tu murmures.

Je croyais que personne ne me suivrait plus dans ce corridor secret. J'ai été si longtemps prisonnière du froid. J'ai erré dans le désert en disant que je ne serais jamais plus une oasis pour quiconque.

Je suis là et ma soif est démesure. J'ignore les portes vitrées entre nous. J'efface à mesure les buées. Il n'y a que toi qui vois des cloisons. Je suis assise du côté du risque, du péril. Je suis un diamant noir, un caillou détaché du ciel et que tu peux lancer vers les cimes tendres.

Je suis là et j'aime la grâce qui dort en toi, cette grâce qui élève. Je voudrais que rien n'altère cette eau tranquille.

Jusqu'où se déroule cette autoroute? Les paysages se courbent silencieusement, nous ne disons presque rien. *En cavale, ils marchent sur des fils de soie, pâle étoile qui les préserve de la Loi...* Je regarde par la vitre les étendues blanches. Trois mots jonglent dans ce triste décor: ciel, sky, heaven. À travers eux tous mes désirs d'immensité. *Je suis l'océan qui veut toucher ton pied.* J'entends des paroles de chansons qui m'obsèdent: *I crossed the ocean for a heart of gold,* puis *You've just call up my name and you know wherever I am, I'll come running oh yes I will, to see you again.* Une pensée se glisse violemment en moi: sur ce même parcours, en sens inverse, j'ai été éjectée de ma propre vie, il y a longtemps, laissant dans un champ douloureux cette part de moi qui ne voulait plus se relever. Nous sommes ensemble sur la route de la déroute.

Aujourd'hui, il y a si peu à raconter. Il fait nuit. *Être avec toi dans la nuit folle efface les ombres et me console.* Une main et sa chaleur se referment sur mes doigts tout au long du trajet. L'homme près de moi évoque un lieu où il voudrait m'emporter. *Rouler au cœur du rock'n roll, les yeux figés devant et ta main qui me frôle.* Je ne sais pas me verrouiller, je me laisse bercer un moment par cette voix qui dépose ses lueurs dans mes visions secrètes. *All I want to do is to be with you.* Je me plais à rêver au Paradise Highway où il ferait bon rouler sans destination précise. *Dance me to the end of love.* Je ne suis pas femme d'illusions, je sais que le chemin ne mène à aucun vrai seuil. *The long and winding road that leads to your door will never disappear.*

Viendra-t-il encore longtemps gratter à ma porte comme une bête affolée, affamée, pour qui je suis la seule proie? *Knock, knock, knocking on heaven's door.* Osera-t-il franchir le ravin des interdits? Je me répandrais dans cette voiture avec des milliers de larmes. Il y a ce torrent en moi dont il ne soupçonne pas encore l'existence. *Y'a tellement de suie au fond de mes cris que même quand je pleure ça reste gris.* Il me touche et sa paume me brûle comme un charbon ardent. *Tu coules dans mes veines et je tremble de toi.* Qu'est-ce que je fais dans cette vie et dans cette histoire d'amour compliquée? Je pressens déjà l'issue néfaste. *And being alone is the best way to be,* mais je n'en suis plus certaine. Des phrases me poursuivent, évoquent ce que j'aimerais dire à haute voix. *Who knows, who cares for me? C'est la vie.* Je me tais. Je suis coincée avec mon désir de ne faire qu'un. *One love, one blood, one life.*

---

* Les passages en italiques sont extraits des chansons suivantes: *En cavale* (Pierre Flynn), *Tu m'aimes-tu* (Richard Desjardins), *Heart of gold* (Neil Young), *You've got a friend* (James Taylor), *Le vent bleu* (Gilbert Langevin/Dan Bigras), *Sur la route* (Pierre Flynn), *L'espion* (Michel Pagliaro), *Dance me to the end of love* (Leonard Cohen), *The long and winding road* (The Beatles), *Knocking on heaven's door* (Bob Dylan), *Je sais je sais* (Marjo/Jean Millaire), *Sentiers secrets* (Richard Séguin), *Circle* (Edie Brickle and New Bohemians), *C'est la vie* (Emerson, Lake and Palmer), *One* (U2).

Je m'ennuie. Je suis à mille lieues de toi et je tourne en rond dans cette maison où je ne sais plus prendre racine. Ici les nuits sont luxées, le sommeil fracturé. J'ai plein de souffles tordus dans ma poitrine, mes rêves sont peuplés de labyrinthes et de séismes. J'ai faim de ta présence, de ta lumière. Franchiras-tu ces murs, ces villes, ces heures pour un peu de ce feu interdit, pour m'extraire de la spirale de l'ennui? La vie coule à côté de moi. Tu me manques.

Ne me laisse pas ici, éparpillée. Je suis entourée d'escortes imaginaires. Je vais d'attachement en arrachement. La froideur du monde est comme une grande faucille et tu connais ma peur panique des quais désertés. Ne sois pas faucheur de vie en m'oubliant dans cette antichambre. J'aimerais être enfermée ici à double tour avec toi. Non en moi si dédoublée.

Porte-moi au creux de toi et laisse-moi cueillir quelques heures ici et là. À l'intérieur de ta lumière, il y a toujours une traînée de lumière. Ne songe plus à m'épargner ni à me soutenir dans mon aveuglement, pas plus qu'à te sacrifier ou à attendre qu'un quelconque amour ne me détourne de toi. Soulève-moi plutôt au-dessus des lieux sans chaleur et épouse mon droit à l'euphorie, aux risques, aux trésors. Abandonne-toi. Tu m'as si longtemps cherchée.

Je m'arrangerai avec les cicatrices. Après. S'il y a lieu.

Une partie de moi s'est déposée en toi, malgré nous. Il y a maintenant une foule de minuscules nuits amassées dans ce qui pour d'autres ressemble encore au jour. Ta folie s'est délicatement amarrée à la mienne et nous demeurons sous cette délicieuse emprise. Des images retentissent en moi, écho fatal des moindres frissons, juste à l'envers des délires qui se jouent de nous. J'entre parfois dans ton sommeil pour y décalquer ma fureur, mon exaltation, mon besoin de paix. Quand tu me touches, tu évoques tous ces nœuds qui en toi se font et se défont, ces liens si mystérieux dans ton corps délié, ces attaches précieuses. Tu voudrais être un fantôme, une présence irréelle, immortelle, qui m'encerclerait pour l'éternité.

Il y a à jamais cette partie de toi sertie en moi, je suis un écrin pour la constellation de ciel que tu es.

Je retourne vers le manque, le néant. Le vide et ses immenses bras d'acier qui me glacent. Je me sens éteinte, sans lueur en moi qui ne veuille scintiller. J'étrangle nos rêves un à un. Et j'étouffe. Ton silence est une arme cruelle, ta façon de fuir, un couteau.

Dans cette ville, il existe quelqu'un qui m'aime. Près d'ici respire un être brûlant d'amour pour moi, qui, je le sais, hurle en secret. Il me laisse seule du côté du froid. Comment chasser cette douleur vive qui part de mon ventre, me tord le cœur? Mes côtes veulent exploser. Ce qui est fort en moi ne veut plus s'en aller vers le jour.

Je ne cherche aucune cible. Cette nuit, je suis une flèche brisée.

Nous ne savions pas qui allait pleurer, qui verrait se déposer sur son âme la fine poussière blanche du désarroi. Ni toi ni moi n'avions prévu les remous de cet amour dévorant, encore moins ses fortes assises. Nous n'avions pas pensé que l'un de nous serait mortellement ébranlé. Pas un instant nous n'avions songé à nous évader de ce merveilleux labyrinthe. Nous étions sur le qui-vive, épousant les moindres vibrations de l'air. Il faisait si bon tournoyer, s'étendre, laisser le monde s'engloutir entre nos cœurs. Nos pulsations rythmaient le temps.

Qui aurait pu imaginer la lourdeur de ce midi de février: ton étreinte si forte, tes sanglots dans mon cou, puis nos doigts fébriles se nouant une dernière fois. Tu me laissais redevenir un être de passage pour ne pas transgresser les lois de ta vie. Mes larmes brûlaient ta nuque: je t'ai murmuré que j'étais un démon dans le ciel. Il était si douloureux de voir la solitude reprendre possession de moi.

Ce midi allait s'éterniser en nous, dans le secret. Il n'existait plus désormais aucune passerelle pour la perdition. Ton étreinte se resserrait, douce et dernière asphyxie. Je me fondais à toi. Le cœur de mon cœur ne voulait plus se détacher de toi ni s'envoler ailleurs. Je pleurais de tout mon ventre.

Reste. Il y a en moi tellement d'impasses et d'océans. Je ne suis pas la conquérante que je croyais être. Je ne suis douée ni pour les guerres, ni pour les batailles, ni pour les défaites. Ne t'en va pas. Je suis une terre de massacre. Toute une partie de toi ne veut plus se séparer de moi et je tremble avec mon besoin d'être secourue. Ne m'abandonne pas, ton amour a pris des formes tellement étranges pour m'enserrer. Voici que je frémis comme jamais. Où es-tu? Je me sens avancer lentement vers la terreur, je me fais une avec ce mal blanc. Reste, enrobe-moi d'air pur.

Mon amour fou ne pouvait vivre qu'en zone interdite. Je dévalais en cette terre promise, fille cascade, femme en fugue. Derrière moi, il n'y avait plus aucune ombre ancienne. J'étais vive comme l'eau, brûlante et déchaînée, ouragan et furie. Les secondes s'affolaient dans l'horloge pendant que je m'agrippais à ce corps chaud qui, de tout son long, cherchait à me guérir du vide. Le feu engendrait le feu, le don visitait l'abandon. L'homme que j'aimais craignait la perdition, bâillonnait mes rêves avec sa raison. Je refermais alors ma mémoire en créant autour de moi d'invisibles clôtures pour que personne ne sache plus m'atteindre ni me faire mal. Existait-il une issue pour moi dans ce monde de fausses alliances? Je chérissais le chant du hasard, certaines nuits je voulais craquer avec mon amour fou.

Personne à qui parler cette nuit. Dans quelques heures tu vas me larguer, reprendre le chemin tracé sur lequel, en apparaissant, je suis devenue l'Imprévue. Tu vas t'échapper, pris de panique, fêler le cristal de nos destinées, casser les hautes portes de verre, fuir la pente douce du risque, te soumettre aux lois implacables. Je vais glisser hors de ta vie, tu vas te ranger dans une tranquille routine, valser dans les apparences, dormir avec une femme façade. Ne disais-tu pas préférer les volcans, les secousses inattendues?

Il est cinq heures, je m'ennuie de tes battements de cœur. Je sais que toi aussi, là-bas, tu ne dors pas. Mon désir est teinté de couleurs mortuaires. Le matin s'approche et je ne veux que toi. Je ne t'aurai plus. À qui vais-je dire que tu as adouci l'hiver? Mon cœur est une pierre malheureuse. J'attends que s'allume la vraie obscurité, cette folle plus vivante que mille lunes.

Personne à étreindre, à qui confier mes envies de ciel, ma soif de toi. Je suis ton secret de faïence. Tu auras beau me confondre à un mot de passe pour cacher mon existence, je connais la gamme de tes angoisses. Je suis ce que tu refuses d'être.

Le matin étend ses bras. Tu quittes ce lit où les vagues se font rares. Celle qui dort près de toi ne sait rien de mon cœur ravageur ni des frissons que tu as oubliés sur ma peau. Elle crèverait de chagrin si elle apprenait que tu voulais demeurer soudé à moi jusqu'à ce que je meure quand tes jambes fiévreuses perdaient doucement le nord contre les miennes. Nous nous laissions porter par un désir d'infini, une lumière presque blessante. Tu étais une rivière détournée, un inévitable tourbillon. Et moi, une éclaircie sauvage. Je me souviens avec précision de la brûlure de ton souffle. Tu as choisi son amour à elle, froid, votre palais de glace. Pourquoi m'as-tu abandonnée?

Nous prenons l'ascenseur. Quelques étages nous séparent des délicates frontières du ciel. Je ne connais que la langue du désir quand tu es près de moi. Mon âme retient son souffle durant cette escalade qui n'en finit plus. Tu souhaites que les portes ne s'ouvrent plus jamais.

Quand l'ennui grisâtre tombera sur ta vie, ces heures folles et mon visage reviendront te hanter, seront une fine épée tranchante entre elle et toi. J'ai eu mal de te perdre, mon faux fuyant.

Mon amour est à l'autre extrémité de la ville ce soir, les avenues sont d'immenses couloirs déployés entre nous. Passage interdit. Mon corps n'ira plus s'abriter contre ce corps d'oubli et je n'entendrai plus le chant sacré caché sous sa peau.

Mon amour est devenu un être de mensonge, un tissu de faussetés, un homme qui vit à l'envers de ses désirs. Un loup de l'autre côté de ce mur du son, un loup qui m'a dévoré le cœur. De grandes mains obscures veulent se poser sur ma gorge pour étrangler mes cris d'alarme. Je ne sais plus déjouer la détresse. «Allons, cet homme s'enfuira de toi», me chuchote une voix amie. Mais l'existence est une tornade noire. Le saccage m'encercle. Marques cruelles, marques perdues, marques d'amour, marques de haine.

J'aime pas la vie
Si c'est comme ça
Ni le velours ni les lilas
Quand les vautours sont maîtres et rois

PAUL PICHÉ,
La haine

Je te hais en cette nuit de verglas. Nous ne déraperons pas sur cette autoroute. Tu tiens ce volant comme les rênes de ta vie. Ce que tu appelles droit chemin est une éclipse totale entre nos cœurs. Je ne veux plus de ta langue, ni de tes doigts ni de ton corps oblong. Retourne jouer le missionnaire dans ce lit où sont jumelées deux zones froides. Ta vie va se renverser, s'aplanir. Les feintes remplaceront le feu. Reste dans le leurre avec ton cœur blindé, ton anneau souillé.

Mon âme est profanée, je te hais, amour impassible. Je ne vois que la petitesse en toi. Tu es une saleté dont je suis captive. Tu n'imagines pas la débâcle en moi. Tu ne voulais ni faire mal ni avoir mal. Tu t'es pris à ton propre piège, guidé par ta hantise de faire fausse route.

En cette nuit de verglas, je me sens une adorable salope, une allumeuse éteinte. Je suis seule désormais avec mon envie de succomber aux étoiles.

Ne me livre pas à l'impureté du soir où sans cesse je me vois exposée à tous les naufrages, toutes les perditions, les verres à vider, bières grises de solitude.

Si l'ébriété roule sur moi, vague oubliée, vague fantôme, pardonneras-tu ma danse esseulée avec l'ombre, mes chutes dans le néant, mes signes de vie érodés?

J'étais anéantie, étendue en cet espace de tourmente, ce lieu dévasté de moi sans toi, ce tapis désert. Surgissaient de moi tellement de paroles incohérentes, dictées par ma peine, insupportable, nimbée d'alcool. Finies les muettes splendeurs, les longues escales dans les contrées du plaisir.

J'étais là, nue sur le sol, collée au plancher, le cœur parfaitement déchiqueté, fermée à tout aveu, à toute présence. Cet homme ne pourrait plus entendre prononcer les mots ciel et ange sans que mon amour démesuré ne revienne voltiger dans ses pensées. J'espérais, dans ces moments sacrés, lui manquer atrocement. Et à jamais.

Pieds liés et mains déliées, ne pouvant plus me relever, je guettais mon reflet dans la porte vitrée. Je me dévisageais dans ce miroir noir, cet étang d'où s'était absenté l'éblouissement. Plus jamais je ne m'allongerais dans le ravissement. Qui veillerait sur moi? Qui aurait des bras infinis pour m'enserrer? Qui bercerait mes mystères? Serais-je forcée de reprendre la boussole du désespoir pour traverser cette foutue vie?

Partout dans mon appartement flottait ce parfum d'enfer depuis qu'il avait brutalement refermé le ciel.

Veilleur de nuit

You say
Love is a temple
Love a higher law
Love is a temple
Love the higher law

U2,
One

You are the sweetest angel
You are the highest flyer
I know it's true
There'll never be another
Quite as beautiful
Quite like you
Dance...

HOTHOUSE FLOWERS,
Dance to the storm

Oblique, je marche avec en travers de moi mon ombre délavée, doublure grisée de brouillard. Il fait nuit. Personne ne ressemble à qui je cherche. Quelqu'un m'appelle pourtant du côté de la clarté, un nœud de feu autour du cou et un peu de vent brisé entre les mains. Minuit scintille, étoile enchâssée dans le silence. Un homme mille fois déguisé me tient en otage.

J'irai me briser contre son corps arc-en-ciel un soir où je ne sentirai du feu que sa morsure. Je me laisserai porter par une vague de silence, légère et violente, heurtant le doute de plein fouet. Peu importe si je me blesse, il aura su me ravir aux voix menaçantes qui montaient dans la nuit.

Il fermera la porte à l'heure convenue, déchirant le soir avec ses mains de délire. Je serai comme toujours vêtue d'obscurité et lui de fureur. N'existera plus que son souffle brisé, vent continuel, chant douloureux, quand la ville se referme sur moi, quand j'entends mille cris d'alarme. Je serai guerrière et muse, femme à double tranchant. Nous oublierons les pages blanches, les eaux interdites, les feux dansants, les armes noires, nos enfances lourdes. Dans cette chambre d'hôtel, la détresse sera douce, prendra corps en cet homme éclaireur, infini fugueur. À l'heure dite, il sera l'âme sœur, se confondra à la nuit.

Je m'étais étendue contre le veilleur de nuit. Il ne croyait pas que tant de lumière allait traverser mon corps jusqu'au sien. J'étais prête à défoncer toutes les portes de la nuit pour me fondre à cette tranquille clarté entre les secondes.

Je m'étais jetée dans son corps pour échapper à d'amers paysages. Il me recevait comme une eau torrentielle. Les phrases, les gestes déferlaient. Il me laissait cracher ma rage. Vomir ma révolte. Je gueulais pour ne pas dégueuler. Il demeurait silencieux. Il m'enserrait, anneau précieux, le vertige était tellement vaste. Il tremblait tout entier avec moi, nous n'étions qu'un seul spasme infini. J'étais bien, là, vivante et vibrante, étendue contre le veilleur de nuit. J'étais prête à défoncer toutes les portes devant lesquelles j'avais jadis trébuché ou vacillé, ces portes tellement noires.

Je me liais et me déliais dans ce lit de désir, cette terre plaintive et douce où prendre feu. Je m'allongeais, vive écorchée, à l'affût de l'onde sauvage qui voyageait en lui. J'étais armée contre la fatigue et la bêtise humaine, fascinée par ses yeux d'abîme exquis et ses mains aimantées. Aimantes.

Il palpitait dans mes bras, sans autre déclaration que cette façon qui lui appartient de danser en moi, de n'exister qu'à travers ces mouvements où je me sens clavier, gare, point de départ et d'arrivée. Moment d'échappée.

Je m'écoulais dans chaque caresse que je lui réfléchissais, sachant qu'il m'insufflait l'égarement à l'état pur. Attachée à la nuit, je régnais sur son cœur, en maîtresse absolue de nos destinées. Il m'étreignait en murmurant que j'étais un oiseau de feu. Lui et moi savions que ce moment de fusion était une issue de secours. Il savait me transporter à l'écart des faucons qui, jadis, avaient empoigné mon âme de leurs serres meurtrières.

Je me suis surprise à murmurer: «Nos fugues se res-
semblent.» Eau noire, lit défait, mur lézardé: quel décor
pour m'éloigner des voix anciennes. Pour que l'ange me
guérisse du vide, j'ai attendu que son corps m'installe
sur le tranchant de la nuit. Le souvenir de la soif m'est
revenu. Il y avait tellement longtemps que l'aube ne
s'était pas dépliée ni vêtue de lumière. Dans ses yeux
brillait la pierre de folie: indice de l'étreinte parfaite. Je
me suis endormie encerclée de paix comme jamais.

«L'angoisse est tellement lourde, si tu savais. Je suis maintenue dans tous ces bruits intérieurs, ces forages fantômes qui me fêlent et me fouillent. Ma faim, ma soif, que sauront-elles façonner maintenant? Des failles, toujours des failles? Je m'interroge encore sur cette vie qui m'enchante, m'anéantit. Peu importe que le dos ou le ventre soient déchirés ou lacérés, je ne sais plus que comprendre, que voir dans tout ce fracas. La poussière s'est installée sur mon poing, fixant la haine entre mes doigts. Apaise-moi avant que la souffrance ne vienne trop heurter l'étrange cercle moulé à mon cœur. Je veux m'étioler et m'étoiler avant que les mots ne me dénudent, me déchaîner, me déployer pour effacer les faux râles, la fureur qu'un homme a un jour enfouie en moi. Je transporte le feu comme une eau en furie. Ramène-moi vers les hautes lames, ces vagues brûlantes où déjà j'ai su m'irradier.»

Et quand la nuit se relâchait, il sentait que je désirais fuir mon corps inerte, l'accompagner lui, me rebeller contre tous les hivers imprégnés en moi, le fol engourdissement inscrit à jamais.

J'étais seule sur cet échiquier du silence. Le mutisme de cet homme m'atteignait autant que ses cris décapants, noirs ou blancs, cris de noyé s'entremêlant à mes visions féroces. La douleur qu'il ressentait lorsqu'il se logeait dans ma blessure, cette douleur me touchait au ralenti. Il imaginait que ce que je vivais n'était qu'une erreur d'aiguillage, un injuste dérapage. Parfois il ne disait rien, mais je savais la moindre de ses pensées: il voulait m'éloigner des brouillages quotidiens. «Cesse de t'agiter. Voici un peu de chaleur», murmurait-il quand mes frissons commençaient à l'envahir.

Quand le jour allait arriver, nous aurions endormi l'amertume. Nous aurions aiguisé nos tourments, isolés que nous étions l'un contre l'autre. Il était rivé à ma dérive et nous dérivions. J'avais tellement peur de me déformer et de lui échapper.

J'aimais cet hôtel, ses éclaircies, ses moments ajourés. J'avais là le sentiment d'une *peine perdue*. «Peine perdue», me disais-je, un peu comme si j'avais égaré cette douleur trop familière dans un recoin de cette chambre que j'avais imaginée sans amour et sans feu, un peu comme si j'avais apprivoisé l'arrachement dès la première étreinte avec cet homme venu d'ailleurs.

«Peine perdue, amour perdu», me répétais-je. J'étais disposée à renoncer à sa chaleur dès qu'il aurait franchi le seuil, m'enliser dans le mystère. Je serais la Délaissée même si j'avais longtemps attendu une telle douceur, cette absolue confusion. J'étais si perdue en cette pièce perdue de cet hôtel perdu. En cette planète perdue. Il était mon homme perdu, l'amour de ma vie, et la perdition m'ordonnait cette envie de me damner. De me donner.

J'aimais cette menace sans relief, cette route invisible, ce tracé imaginaire entre mon âme et la sienne. La vie reprenait enfin vie. Je chutais parfois dans le regard de cet homme, j'ignorais jusqu'où j'irais. Je m'imaginais naufragée, surgie des nuits noires, lui offrant mille chants de détresse. J'avais écrit dans l'un de ses carnets: «Ta musique erre maintenant dans l'océan, fureur délicate et sauvage, lierre infini entre nous.»

Mai, juin, juillet, j'ai attendu cette révélation. Un homme superbe jaillit de la foule, quitte le jardin sauvage de ma mémoire. Il glisse ses bracelets à mon poignet, ses colliers à mon cou.

Deux mystères se rencontrent, deux secrets se nouent dans la pénombre. Nous entrons dans cette belle spirale, cet espace divin où les âmes se croisent et s'emmêlent. Lianes enlacées. Nous sommes au large des blessures.

Nous nous lions sur ces allées d'abandon. Tout ce blanc autour de nous est troublant. Cet amant est un temple, une obsession magnifique. Sa beauté est insupportable.

Sa voix creusait le ciel et son chant emplissait la ville. Il avait entraîné la foule dans une danse infinie. J'étais là immobile au centre de toute cette vie et je regardais cet homme qui s'envolait avec ses accords fous. Je fuyais ses yeux et je fixais ses pieds nus qui ne touchaient plus la scène. Mes bracelets tintaient dans la nuit. J'étais ensorcelée, prête à danser dans l'orage, frôlant les ailes de l'ange lumière. Il m'offrait un appui invisible, une vision très douce de l'envers: son épaule jusqu'à l'aube.

Plus tard seulement, je pourrais le suivre dans un corridor blanc. Il n'y aurait plus d'éclats de vitre sur le sol. Une vague de chaleur nous emporterait.

Table

CET OUVRAGE
COMPOSÉ EN BODONI 12 SUR 14
A ÉTÉ ACHEVÉ D'IMPRIMER
LE VINGT-TROIS FÉVRIER
MIL NEUF CENT QUATRE-VINGT-QUATORZE
PAR LES TRAVAILLEURS ET TRAVAILLEUSES DES PRESSES
DE L'IMPRIMERIE GAGNÉ
À LOUISEVILLE
POUR LE COMPTE DE
VLB ÉDITEUR.

IMPRIMÉ AU QUÉBEC (CANADA)